EFFETTI COLLATERALI

Raccolta di poesie
2018

*Il sangue
che tinge di vermiglio le tue labbra,
dona emozioni al mondo,
parole al cuore e a questa penna,
baci alla mia bocca
che solo di te, adesso, saprà dire.*

MasterBooks

Ferdinando Paternostro
EFFETTI COLLATERALI

Copyright © 2019 by Masterbooks - Firenze - 055 4368577
www.masterbooks.it - info@masterbooks.it
Tutti i diritti riservati

È vietato per legge la riproduzione in fotocopia e in qualsiasi altra forma anche digitale senza il consenso scritto dall'editore.

ISBN 978 88 6761 026 6

MasterBooks è un marchio di Nova Master srl

Bella

*Bella
come onda di mare;
quando t'infrangi
e non ti volgi indietro
lasci la riva deserta
e sassi levigati a vetro.*

*Stella,
fonte di miele,
di te ogni cosa è piena,
di forza, di bellezza,
come respiro di vento,
o di carezza.*

*Bella,
di fiato, terra e luce,
al centro di ogni tempo
fulgida fenice,
bella e molto ancora,
gioia plasmatrice.*

Volo

*Potranno
le tue idee
cambiare il mondo,
le tue parole
proteggere una vita,
le tue mani
ridare una speranza,
il tuo sorriso
placare una battaglia.*

*Potrà
la tua tenacia
vincere le paure,
la tua pazienza
far ridere un bambino
e i tuoi occhi
riuscire a far volare.*

*Da un giorno sono solo...
e ancora volo,
volo.*

Troppo facile

Troppo facile
fingersi poeti
con i tuoi occhi
dentro gli occhi
e i tuoi baci sulle labbra.

Nell'attimo esatto in cui
hai saputo d'amarmi
sei scappata via ...
come lo scrivo, adesso,
nella mia poesia?

E le parole
rimaste da dire,
i porti da attraccare,
il bicchiere da bere,
le lune da aspettare?

Mi resta il tuo sorriso,
questa carezza
ed il rimpianto
di non averti amato mai
tacendo.

Una parola

*Sono andato a guardare
la strada dove ti ho aspettato,
il tavolo imbandito,
l'albero che ti ha abbracciato
e ho trovato una parola nuova
testarda come stella alpina,
sola come una stanza vuota,
libera come un arcobaleno,
e potente come il titolo di un libro,
una parola con i nostri nomi accanto
scritti prima delle pagine bianche
dei giorni che verranno
senza trovarci insieme.*

Claire de Lune

*D'improvviso
tace il mondo...
e questa voce nel suono
al chiaro di luna
mi ricorda
di essere vivo,
carne e sangue,*

uomo

*come chi
la scrisse allora
per un amore lontano
o per le corde di un piano
che nelle notti,
come stanotte,
senza luna
e senza te
resta chiuso,
irreale,
fragile
sospeso.*

Estate

*Pescatore assopito
tra orme di passi vicini
e di conchiglie,
il mare come tavola,
il promontorio, la pineta,
gli ultimi rossi del tramonto,
neppure un alito di vento.*

*Mi passi vicino
ma non mi riconosci:
le infradito tenute da una mano,
gli occhiali da sole
che fermano i capelli,
segui i tuoi pensieri sulle onde quiete
e scansi con un salto la mia rete.*

Verrà Primavera...

*e scoprirai le braccia
calda e improvvisa,
il sole sulla faccia
sarà carezza nuova
su nuovi pensieri
passi di luce
e di speranze ardenti,
che tolgono il fiato
mentre t'addormenti.*

*Non lasciarmi
come liso cappotto
nell'armadio:
quel giorno d'inverno,
c'ero
e ti ho coperto il cuore.*

Cerco

*Cerco sul foglio bianco
il fiato di un bacio
perso in una lacrima.
Così ho comprato un quaderno nuovo
per scrivere le parole
che oggi non ti ho detto,
ma adesso ho un foglio vuoto
che rigo di pensieri sfusi
mentre riavvolgo il nastro
di un giorno strano, felice ma diviso,
con noi vicini, come un tempo,
con il tuo sguardo dentro mio sorriso.*

tra l'amore folle
e la follia
è uno spazio o un tempo?

Se è uno spazio
ci sono le tue scarpe nuove,
i tuoi vestiti,
lo smalto azzurro sulle unghie,
il libro
che ti ho dato e non hai letto,
la croce
che oggi porti sopra il petto.

Il Limite ...

Se è un tempo
è quello del respiro
tra un bacio e un bacio
o dell'istante
che mi porta la tua assenza,
col pianto del mattino
dopo il sogno in cui,
purtroppo o ancora,
ti trovo qui vicino.

Il limite tra un ciao
e un addio
è un miraggio degli occhi
o un sipario sul cuore?

Se è un sipario
stasera si chiude
sulla corda pazza,
che giro
senza accordare
e arriva con il gran finale
di un assurdo motivo
che canto ridendo
e che fa

"trilla trilla
trilla..llà"...

Trasparenze...

*di suoni
ovattati tra le stanze,
che portano nel gesto
limpido
di antiche danze
di inchini e di sorrisi,
la trasparenza
di parola detta
con te che scappi
e io dietro
"aspetta"
un minuto, un'ora
un tempo breve
almeno per un sorriso
un bacio
per una frase lieve,
trasparente come
le curve del tuo petto...*

*ma tu intanto fuggi
e, trasparente,
aspetto.*

Presente

*Il presente
sta tra l'idea di fare
e il fare,
adesso
tra il prenderti per mano
e andare.*

Rosa Bianca

Rosa bianca
davanti allo specchio:
di te
resta solo
l'immagine
che porto dentro
e quest'ultimo modo
che ho
d'amarti,
cercandoti
nei tramonti
senza baci,
nelle parole
senza mani e turbamenti
o scrivendoti nel foglio
che ho davanti.

Le Parole

*Le parole
che ho scritto sopra fogli
sono più di quelle
seminate dentro i baci;*

*queste sfuggono
come uccelli migranti
quelle crescono
infisse nel cuore.*

*Oggi il vento le increspa,
onde d'argento
sopra l'erba di un prato
e per questo
(e per farmi felice)
tu le chiami poesia.*

Tu Parti,
Io Resto...

*portami
un pezzo del mondo
che vedrai...
tardi o presto
ti aspetto,
perché già so
che tornerai,
cantando.*

L'attesa

*Ha l'odore
del mare in tempesta
e del tuo viso
baciato dal sole.
Un filo
tra chi parte a chi resta...*

*Ti aspetto
e stasera mi perdo
nei tre infiniti riflesso:
nel grande,
nel piccolo
e il tuo,
infinitamente complesso.*

Shabnan (Rugiada)

*Oggi ho imparato
dal tuo sorriso
a fidarmi anche
delle strade buie,
segnate da sassi levigati
e ciechi,
insidie, di notte,
per il mio cammino
ma specchi di luce
nell'alba di rugiada
che per te, insonne,
aspetto.*

Un altro Ulisse

*Tornò a casa dopo tanto mare
ma non le disse "ti amo";
senza più ponti da attraversare
si perse nei suoi occhi
e chiese
"adesso dove andiamo"?*

Per esser certo

*Per esser certo
che tu non sia più sola
ho chiesto al vento
una carezza,
un abbraccio al sole,
all'albero antico
che ti sa fanciulla
un bacio di foglie
bagnate di rugiada ...*

*e ho chiesto alla mia ombra,
tacendo,
di sederti vicino.*

Il tuo tempo

*Un giorno
avrai di nuovo
il castano tra i capelli
e pensieri accesi,
di anni pieni e belli.*

*Ti comprerò
un cappello bianco,
lo metterai
tenendo gli occhi chiusi,
"è una sorpresa" dirò,*

*portandoti uno specchio…
ti scoprirai bellissima,
per ogni istante nuovo
trovato
in un istante vecchio.*

Sublime

*Sublime
è l'unica parola
che so dire...
il resto
è la poesia
che tua bocca
ha scritto,
tacendo,
sulla mia.*

Ho baciato...

sulla fronte
i tuoi sogni,
sulla bocca
le parole
che scrivi,
sul seno
l'ombra
delle tue paure,
sopra i fianchi
quel pezzo di cammino
che sempre ti porta,
libera, da me.

Ho baciato
sul tuo grembo
la passione,
fuoco vivo,
fiamma innocente
e sulle mani
tutta l'attesa
del tuo lunghissimo
presente.

Una notte

*Mi sono messo
il sorriso buono
e ho acceso
la tua stella
prima di dirti
le parole che aspettavi
e sentirti
nella voce delle mani
che parlano tacendo.*

*Così un abbraccio solo
ci ha scaldato
il tempo,
che per noi
stanotte si è fermato,
cercando tra i respiri
un lacrima sparita,
che oggi è la tua storia,
che adesso è la mia vita.*

La camicia

*Con le maniche
che hai arrotolato
conservo nell'armadio
la camicia
che mettesti dopo;
sono fredde e lunghe
le sere d'autunno senza averti
e in quella c'è il tuo abbraccio
che come voce adesso
mi riscalda il cuore.*

Lampi di luce

Dal centro esatto
del mio cuore
ogni strada di pensiero
viene a te.

Lampi di luce
di questo vivere
leggero
sono le parole
che ogni sera scrivo,
per te
non più lontana
ma qui, presenza viva.

Scrivendoti così
mi leggo dentro
e ti ritrovo, sempre,
che mi parli
a consolare il tempo
della lontananza
e trasformarlo
in tempo
di speranza, nuova.

Stasera

*Hai scritto sulle labbra
i versi di stasera:
ti bacerò per leggerli
e poi sarò poeta.*

Onda

Sei onda di vita
che scuote la sabbia
dal fondo del mare,
poi cresce impetuosa
e unendosi al vento
si adorna di schiuma
e frange cristalli di suoni
in cerca di riva;
qui lascia il suo odore
e trova la meta,
sua fine e suo inizio,
mutando lo scoglio che tocca...
come ogni tuo bacio
su questa mia bocca.

L'airone

*Scivola elegante
a pelo d'acqua
e con la punta
delle ali
sfiora il fiume:
ogni battito
è danza
sopra ghiaccio.*

*Poi s'inarca,
con un balzo
punta il cielo
e cercando
il suo compagno
sopra un ramo
si colora nel riflesso
di una stella.*

*Vieni a me,
stanotte,
con ali spalancate
come airone
che falcando
sopra l'aria
prepara al suo destino
un nuovo abbraccio.*

Che ...

un sorriso
ti indichi il sentiero
e che i passi che hai già dato
diano forza
per il tratto di cammino
che ti aspetta.

Non temere
se la strada si fa stretta
o se i piedi sopra i sassi
fanno male:
se c'è ancora
un altro pezzo di salita
è normale
fermarsi a respirare...

l'importante
è il cuore non sia stanco
ma per questo,
ormai lo sai,
sono qui, proprio
al tuo fianco.

Credo

Credo nelle rondini
che annusano nel vento
l'odore della strada,
nelle foglie
che morendo alle radici
danno linfa alla pianta
e alle sorelle,
credo nei gatti
che seguono di notte
le tracce della luna,
ai tasti silenziosi
che aspettano le note
che hanno dentro.

Credo alle parole
dette in mezzo ai baci

… ed anche ai tuoi silenzi.

Delfini

Porti nel mondo,
sulle guance,
il rosso del mio fiato
e tra i capelli
l'ultima carezza.

I pensieri, invece,
nel profondo,
come delfini
tuffati dentro al mare,
emersi a pelo d'acqua
per baciarsi o solo
respirare.

Inverno

*Istante dopo istante,
in apparenti
o vere solitudini,
fiumi di grandini
come pensieri nuovi
ed improvvisi
lavano strade
torte, chiuse a pietra;*

*il tuono rincorre
tocchi d'orologio
inascoltati
e un ceppo arde
per perdersi
tra amici,
dentro parole
nel fuoco del camino,
e non nel cuore.*

*Allora disegno
nella brace il tuo profilo
e all'improvviso
questa fiamma scalda.*

La scultrice

Mi hai preso
pietra di roccia:
il tuo bene martello,
ogni bacio
colpo sapiente di scalpello.

Infine un fiato
e sono fatto uomo.

Invano

*Chiuderai la porta
e stenderai le braccia:
gli occhi
spalancati in aria,
le labbra schiuse
mentre mi stringi
forte,
sospeso il fiato.*

*Sarai felice,
come mai sei stata:
temendo di sognare
mi toccherai
tre volte
le mani e il petto
e ci sarò davvero.*

*Da allora
lune, stelle ed albe
ci cercheranno,
invano.*

Adesso, dopo

Adesso
toglimi con un bacio
le parole dalla bocca
e amami
per ogni istante
come se il tempo
si fermasse ad ora.
Prendi
nei ritmi di carezze
il passo del viaggio già iniziato,
fammi compagno e fonte
di passione,
riempitene il cuore
ad occhi chiusi.

Dopo
chiamerò l' attesa
col tuo nome…
trovandoti in ogni gesto
di pensiero
anche il tempo dell'attesa
sarà vero.

Il nostro tempo

*Adoro
il nostro tempo
che nasce dall'attesa
si cerca,
cresce,
si completa
dentro un abbraccio
nuovo.*

*Per questo scelgo,
in ogni istante,
di stare nudo
specchiato nei tuoi occhi
e trovo luce,
immensa gioia,
e dono a te ogni sorriso.*

*Allora scrivo
un verso bianco
per dirti
sottovoce
"perché tu esisti
io sono",
del nostro tempo
un dono.*

Al centro

*Mi vivi
addosso e dentro
portando luce
ai passi
sorriso
alle mie labbra.*

*Ti cerco
nel giorno
che comincia
e trovo sempre
tue parole
al centro esatto
di poesia.*

Alba

*Profuma l'aria
di tua pelle
e dell'attesa
di questo giorno
nuovo.*

*Vorrei venire
nell'alba
a darti un bacio,
per respirare il soffio
dei tuoi sogni,
per dire sottovoce
nel tuo letto
"Amore, dormi ancora,
aspetto".*

Meditando...

*sull'ultimo tuo bacio
ho toccato il mistero
di queste nostre vite,
mai sazie dell'essere vicine:*

*stanotte mi perderò
nei quadri
che non hai dipinto,
tu leggerai in un fiato
i versi
che ancora non ho scritto.*

Eccoti

*Da qualunque parte
del mondo torni,
dalla foce del Gange
o dal flusso di pensieri
che talvolta ti rapisce,
sempre mi trovi
a braccia aperte,
la barba fatta,
il profumo che ti piace
e tu riflessa
nel mio pensiero felice.*

Distanze

A un soffio
da tutta la tua pelle,
a un sorriso
dai tuoi pensieri tristi,
a un passo
dalle parole lievi
a una carezza
da una speranza aperta.

A un minuto
dal questo nuovo inverno
che imbianca di onde il mare
e te di luce calda,
a un abbraccio
da tutte le distanze
perse in vicinanze
di giorni intensi e pieni.

A un "ciao"
che cerca in un "domani"
le parole per dire
un altro verso
e scrivere,
senza inchiostro o penna,
la favola
di te
che sei vicino.

Dopo un temporale

*Adesso sono
un cacciatore d'arcobaleni
e corro
mentre in cielo piove ancora
tra vicoli di paese
fino in cima,
occhi sbarrati
pazzo,
perché sei lontana.*

*Salgo,
spettinato dalle nuvole,
ancora,
quasi per toccarlo,
chiuderne un pezzo
dentro una bottiglia
e lanciartelo nel mare...
ti arriverà,
sicuro,
prima del tempo del ritorno.*

*Lo metterai
tra gli altri doni,
pensandolo carezza:
poi avrai le vere
e piene di colori.*

Le strade, le parole

*Le strade sono i versi
le parole i passi,
le rime tra le righe
i nostri abbracci
e i punti che sospendono
per un tempo il tempo
i baci...*

*Raccontano
di quando mi porti
nel tuo mondo,
mi guardi
e poi sorridi,
o di quando vieni tu
in questo mio,
rendendomi felice.*

*Le strade sono i versi
le parole i passi
e adesso di due vite
qui scriviamo
una poesia sola.*

Mare di maggio

Nuvole in cielo
cambiano colore al mare:
il pescatore,
due passi dalla riva,
già sa,
da come sente il vento,
che non piove e resta,
cucendo la sua tela.

Pure i gabbiani
tornano a terra
mesti:
nuvola nera,
testa di drago,
scivola bassa
con il suo fiato freddo
e carico di pioggia.

L'ombra della rete
scompare dalla sabbia,
ma l'uomo
non solleva il capo
dal lavoro:
non è rassegnazione o sfida
ma certezza

che... adesso... in un istante...

passa nuvola,
passa drago e freddo nero,
la rete torna sana,
il mare specchia
fiocchi di luce
e gli indicibili colori
del cielo e
dei tuoi occhi...

getto la rete
e dentro un balzo,
ritrovo la tua bocca,
il sole
e il tuo sorriso.

Origami

*Piego parole
e origami di pensieri:
in tutti ti ritrovo
per contare*

*le ore senza sonno,
il tempo senza luce
di inutili
notti solitarie.*

Penelope

*Solo di donna
è dignità d'attesa
nel tempo che separa
bacio a bacio,
quando partiamo
a conquistare
il mondo
o per cercare,
in ombre,
un sogno perso.*

*Lacrime sospese
sopra ciglia,
cancelli spalancati
che aspettano
ritorni:
così ragione
dentro al cuore
brucia
ogni fantoccio
d'illusione
o d'apparenza.*

Concerto
(a Goffredo)

*Il Maestro
si appoggia al pianoforte
e chiude gli occhi
per trattener memoria
di ogni nota viva,
prima che tutte,
come gocce di mercurio
e nell'ordine perfetto,
gli scivolino da testa
a mani e dopo a cuore,
col solo gesto
di accarezzar tastiera.*

*Così trattengo dentro,
sospeso
nel tempo innaturale
in cui mi sei lontana,
ogni carezza o bacio
che adesso vorrei darti,
ma so che passeranno
da labbra a mani
e dopo a cuore
appena un nuovo abbraccio
inizierà il concerto.*

Tre cose

*Parlare
di te a me
senza avvolgere
il nastro di un ricordo.*

*Guardarmi
occhi come specchio
per cercarti
dove tu mi trovi sempre.*

*Contare
come da prigione
il tempo alla rovescia,
per riaverti.*

*Solo tre cose
adesso riesco a fare...
poi ogni tanto
mi fermo e te le scrivo.*

Tre sassi

Indossa adesso
il tuo vestito nuovo
e scendi fino a mare.

Tre sassi troverai
di fronte a riva:
li ho messi in fila
mentre ti cercavo.

Nel primo chiudi
i tuoi pensieri tristi,
nell'altro il tempo
non vissuto insieme,
nel terzo, questo,
che è il più grande,
ogni attesa di speranza nuova.

Dai ad ogni sasso un nome
e uno ad uno lanciali
nell'acqua.

Da ognuno vedrai
nascere un'onda,
dal terzo la più alta
che quasi increspa il mare.

Seguila nel tempo
di un respiro finché
ti sembrerà di non vederla.

Se ti volti allora,
per tornare casa
mi trovi dietro a te,
a braccia aperte.

Un risveglio

Siamo
anime unite
nell'essenza
di ogni nuovo sogno
fatto vero.

Sul limite terreno
tra risveglio e giorno,
l'abbraccio
senza spazio,
senza tempo
cresce nel nostro
effimero per sempre.

Voyager

*Scivola nel nulla,
dopo l'ultimo pianeta
e da lontano fotografa
la terra,
viaggiando
per kilometri al secondo
senza sfiorare atomo
di polvere o di luce.*

*Vuoto
e lunghissimo
come questo tempo
di un giorno interminabile
da solo.*

Mi renderai

A me, forte
stretta,
ti affidi in una notte
senza buio...
trovo tue labbra
e tu un abbraccio,
viaggio interiore,
due,
tracce di luce.

Domani mi renderai
queste parole
e le altre
che adesso non so dire.

Altrove

*Vedrei
forse da lontano
le paure, distanti,
scolorite come foto
in bianco e nero
e nel tempo capovolto,
scombinato,
avrei risposte
prima di domande,
presagi di carezze
o vita inquieta...
sdoppiato nello spazio
di pianeta.*

Amandoti di più...

te lo dirò di meno
così delle parole
conservi lo stupore
e le berrai soltanto
quando ne avrai sete,
come liquore o nettare
o forse medicina.

Come volando

*Ti vengo incontro
correndo a braccia aperte,
piegato contro il vento
le mani aperte e tese.*

*Non è natale o pasqua
ma solo un giorno nuovo
un tempo senza nebbia
e vero in un abbraccio.*

*Allora chiudo gli occhi
tanto da assaporarti ancora
e avere, quando è sera
parole di poesia.*

Dopo un temporale

Sono un cacciatore
dei nostri arcobaleni
e corro,
che in cielo piove ancora,
carruggi di paese
fino in cima,
occhi sbarrati
sapendoti lontana.

Salgo,
tra nuvole,
quasi per toccarlo,
chiuderne un pezzo
dentro una bottiglia,
lanciartelo nel mare
come una poesia.

Lo avrai, sicuro,
prima del ritorno,
lo metterai
tra i doni,
pensandolo carezza:
poi avrai le vere
e piene di colori.

Distanza

Adesso anch'io
ti parlo di distanza,
racchiusa in universi paralleli
che a volte diventa vicinanza
se sfocia nel bene
che non cambia,
nel modo di pensarti
o di pensarci insieme.

Per ...

*Per ogni tempo,
per ogni istante,
per ogni sorriso
lacrima, passo di cammino,
per il tuo sogno,
caparbietà vincente,
per ogni angolo di cielo,
per le parole della luna,
l'acqua di mare
e terra, per un giorno,
forse oggi,
senza guerra,
per ogni attesa,
per l'anno che comincia
anche un lunedì d'agosto
e un po' per me,
se ancora mi dai posto
a rendere sereni
i tuoi pensieri,
con parole scritte,
queste, come baci.*

Raccontami di te...

tra cielo sole e mare,
disegna tavolozze
di tramonti,
di colori cangianti
sulla pelle,
di brezze leggere,
di attese dentro luci
e quiete sere,
come di barche all'ancora
nel porto... e anche
di quando qualcosa
ti va storto
e vorresti di due tempi
un tempo solo,
da non scambiarsi
lontano
o con parole scritte
ma detto sottovoce
e in un risveglio.

Se

*Se ci chiediamo
come andrà a finire,
come sarà
oltre il tempo di domani,
se d'emozione
cerchiamo la misura
o un vincolo
come condizione,
allora
la risposta alla domanda
che ci ha portato qui,
uno per l'altro, ancora,
è chiara
senza dirsi altre parole.*

*Se invece
adesso non mi leggi
siamo, come sempre
in un abbraccio.*

Un mendicante

*Sono un mendicante
del tuo amore
e resto ancora
con la mano tesa
a guardarti passi
verso altrove.*

*L' abbasso dopo
e stringo
l'ultimo sorriso,
quello
di quando hai detto
"con te sono felice".*

Vuoto e pieno

*Inseguo
un altro calendario,
nell'imperfetto tempo
e vero,
dentro scarpe consumate
di cammino,
nelle mani gonfie,
sporche di fatica
in parole dette alla rinfusa,
ma dolci
come il miele
di un abbraccio,
come essenza
del pensarsi dentro altro.*

*Sei stata, sei sparita
ora ritorni.
Per te sola
do un verso al tempo
e al vuoto e al pieno.*

A A A... Cercasi

Aria sospesa nel vetro,
sul fondo di un bicchiere
rovesciato,
prigioniera attende
come eroe
mano maldestra
di giovane barista
che frantumando
le renda libertà.

Addosso

*Sei il mio pensiero felice,
luce di occhi e mani,
danza di labbra.*

*Mi sei passata accanto
come lampo o treno,
tutto mi sfugge di te…*

*così comincio
a raccontarti
per la carezza di sole
e l'alito di maggio
che mi hai lasciato
addosso.*

Buonanotte come...

questa luna
accesa di nascosto
dietro nuvole,
come una lucciola
che ci aspetta sotto casa
ed accompagna, dopo,
un tratto del ritorno,
luce succedanea
di tua assenza.

Buonanotte in questo bacio
scritto, di presenza,
buonanotte, ancora,
come se fossi lì.

Coincidenze

*Se il viaggio
non finisse troppo presto
saprei parlati
di tempi sovrapposti,
di andate e di ritorni,
mirabolanti attese...*

*se solo ci fossero sorrisi
specchiati dentro i finestrini,
e tunnel sotto le montagne
di parole, forse
avrei il tuo nome,
almeno, da scrivere
in acronimo
dentro una poesia...*

*nelle stazioni, però,
se scendi,
ci si può abbracciare.*

Dirò se sei felice

*Cerca nel cielo
Venere e la luna
e uniscile con fili
di parole.*

*Anche se ti guidano
lontano dal mio sguardo
dovrai poi annodarle,
le tue parole a vita.*

*Quando tornerai
per rendermi il segreto,
aprendoti le mani
chiuse a scrigno...*

dirò se sei felice.

Domande

"Mi hai mai amato?"
"E adesso?"

domande
come nubi,
come fuga
di mani a mani,
sguardi diversi
estranei, vani,
chiusi in
silenzi impetuosi,
pensieri in piena,
in pena,
in rima di poesia.

Poi, via…

È più facile

È più facile scriverti,
pensandoti vicina,
che dirti dentro gli occhi
le parole, quando sei lontana
con il cuore.

Per questo adesso
lascio la mia penna,
e vengo a darti
il mio buongiorno,
solo di carezza e con un bacio.

E se fosse lontana...

la felicità che stai cercando,
o dietro una montagna,
o a mille passi
se fosse diversa
da come te l'aspetti,
dentro polvere e sete,
senza lune specchiate
sopra il mare?

se fosse
un pomeriggio di settembre...
appesa
a un albero di loto,
o stretta
nella mano di un bambino...?

o se fosse vicino?

Ho amato...

fino all'ultimo tempo,
ho visto, provato,
tenuto il tuo cuore tra mani,
ho acceso una fiaccola sola
e tenuta più in alto
per schiarare la strada,
questa strada di notte...

Ho amato
fino all'ultimo fiato,
fino a un giorno di cento domande,
di risposte inattese,
di silenzi perduti;
poi tornando, sopra passi di casa,
ti ho riscritto speranze.

Ora aspetto il silenzio,
che rinnovi pensieri
i vestiti, le scarpe,
la parola "domani".

Una parola

*Ho nascosto dalle stanze
le cose che parlano di te;
i muri hanno la tua voce.*

*Ho preso strade sconosciute
ma siamo stati ovunque.*

*Ho incrociato occhi diversi,
ma in tutti c'erano i tuoi occhi.*

*Cercavo una parola
per essere felice:
erano esattamente
tutte quelle che ti ho scritto.*

Il tuo corpo

È come sei nel mondo,
è come sei per te,
un sacrario di attese,
epifanie,
un vento,
un coltello affilato,
un eden ritrovato
sottovoce,
un'anfora
dai manici intarsiati
che chiude i nostri fiati
dell'ultimo tempo
che si è unito al mio.

La mia donna

*La mia Donna
è la più bella
e sempre dove passa
porta un dono:
di suo splendore
rende vivo il mondo
ed elegante
e colmo di speranza,
perché in bellezza
di Creatura
l' oggi si compie
ma Sua bellezza
nei miei occhi
è già futuro.*

La stella

*C'è una stella
sopra la tua casa
che aspetta,
sempre accesa,
l'ora che ritorni
e sul cancello,
mentre ci baciamo,
legge da labbra
la nostra buonanotte.*

*Poi fa più lieve
la strada del ritorno
quando la guardo
e già mi manchi un sacco.*

*Stanotte invece,
che mi hai detto "resta",
vola nel cielo
seguendo la sua traccia,
e qui non tornerà
fino a domani
perché mi splendi tu,
adesso, tra le braccia.*

L' entanglement quantistico

*Prima di Dirac scrivevo
che se due cuori
per un tempo
parlano tra loro
e poi qualcosa
(qualcuno...)
li separa,
non sono più
due anime distinte,
ma simbionti
di un indissolubile sistema.*

*Così, a kilometri o
anni luce di distanza
tu segni il mio passo,
io il tuo tempo,
consumandoci
nell'attesa
del pensiero
del nostro prossimo,
quantistico futuro.*

Mi sei mancata

"Mi manchi"
è sempre un tutto o niente,

"mi manchi come"
è inutile da dire.

Toglilo dalla poesia
che ancora non hai scritto
e diglielo al passato,
in un abbraccio.

Di notte

Vorrei adesso la tua pelle
sulla mia
come quando ci amavamo
senza tempo
e negli angoli di strada
fiati e vite
scambiavamo in baci
appassionati.

Vorrei lasciare spenta
questa televisione,
ogni sera
di ogni giorno di fatiche
per sorridere,
guardandoti negli occhi,
delle cose che ho fatto
o che ho sbagliato.

Vorrei tenerti
di bene come a un filo
come quando
un aquilone prende il vento
e vederti alta
su nel cielo
e sapere che se vuoi
tu puoi tornare...

e ogni dopo non vorrei
lasciarti andare,
restare stupito
con le mani
che non possono abbracciare
e labbra che si ingannano
di notte
a scrivere poesie.

Nell'aria

*Tutte le parole
che so dire
sono piene di te:
sei la mia poesia:
sono il fiato della vita
e perdendoti
svan sc no ne l' r a.*

Par avion

Girati prima di partire...
si sorride sempre,
andando
e la mia mano aperta
verso il cielo
sentila come l'ultima carezza.

Parallasse

*Si scambiano
lampi di materia e luce
stelle gemelle accese
sopra le nostre vite.
Pare che ruotino
una per l'altra,
adese,
scambiando confidenze
di passioni.*

*Invece a milioni
di anni luce stanno,
ognuna la sua storia,
il tempo
ed un futuro...
sembrano amarsi
in vicinanze
come noi nel cielo
di una stagione sola.*

Pastelli

Le linee tracciate dalle nuvole,
bianche e rosse
accese di tramonto,
la sera attesa
di un giorno di tempesta
scrivono versi in cielo
nell'azzurro
che il sole e basta
sa leggere davvero...

così tu soltanto
queste mie piccole parole.

Pioggia a settembre...

lacrime d'estate
che lavano parole
seminate,
incomprese, disarticolate,
declinate in condizionali passati,
relegate da un "se"
dentro un tempo irreale,
duplice, controfattuale
fiori tra le spine,
raccolte
tra baci in un addio,
in un a dopo,
a domani, a presto,
a quando
si scioglieranno in versi
che solo noi sapremo,
col sorriso,
ridare all'acqua, al fiume
o al corso della vita.

Ricco...

*del tempo che ho comprato,
delle parole che ho scritto
e di tutti i posti del mondo
dove ti ho atteso e stretto forte,
accarezzato, di ogni buonanotte
detta sulle labbra,
attesa o sfida di coraggio,
per ogni giorno vissuto
come un viaggio.*

*Sono ricco
di tutto bene che ti ho dato...*

Topognosia

Guardami sempre dentro gli occhi
e baciami fino in fondo al cuore,
respirami oltre il tuo stesso fiato,
scrivendomi su pelle con le labbra
le cinque lettere dell'unica parola
che delle nostre fanno un'esistenza sola.

Tutti via

*Quando finiscono, gli amori,
restano appesi un poco
alle parole, alle promesse estreme,
all'implorare un "ti ricordi quando",
a passi fatti per inerzia,
a baci dati solo con la bocca
e a labbra strette, sperando
forse di defibrillare il cuore...
e dopo tutti via.*

Un pazzo

Signore,
è qui che fate quei tramonti
che poi vendete sulle cartoline?
quelli che danno
pane e fiato al cuore,
che fanno dire
agli innamorati
" noi... uniti come il sole
dentro il mare"
e dopo quel tramonto
cambia per sempre
il senso del vivere,
di amare?
Signore,
la seguo non per importunarla,
ma per chiederle se l'ora
è sempre quella,
le sette e trentacinque,
come quando
non ero qui da solo,
e ho avuto anch'io
il mio "per sempre"
dentro un bacio...
sono arrivato in tempo?
Ci vuol pazienza, sa,
per attendere un tramonto,
se c'è una nuvola
appena sopra il mare
il sole gioca a fare tardi...
ma io, che ho camminato un anno
prima di tornare
posso aspettare ancora
tanto non sono solo,
c'è la sua presenza,
è il mio ricordo vivo,
lo vede come è bella...?

Signore, scusi,
prima di scappare,
ci fa una foto col tramonto...
signore... signore....

Withorwithoutyou...

*Cercarsi
senza giochi di parole,*

nec tecum

*ma dopo ti fermi
all'improvviso
e mi dai un bacio,*

nec sine te,

*quando l'assenza
anche di un'ora
dilata un tempo vuoto
e come un mantra
ripeto all'infinito
che solo cercandoti così*

vivere possum.

A volte

*Vorrei capirti
anche dove non arrivo
ma l'anima vive
a volte
dentro stanze segrete
dove,
mentre si cambia pelle,
nessuno deve entrare.*

*Per questo,
cammino nel tuo tempo
seguendoti di fianco
mi fermo, aspetto
e dopo metto il piede
soltanto nei tuoi passi...
a volte, così
domani arriva presto.*

Ci sono...

*angoli di mondo
dove puoi ascoltare il fiume,
il mare, il lago,
e le parole
che ti portavi dentro:
dopo, tornando a casa,
avrai altri racconti,
voci dell'acqua
e i tuoi silenzi.*

Desìo

Hai messo il tuo sorriso,
perciò sono felice...
quasi lo vedo ancora
ma è già di un altro tempo
e di uno spazio
lontano
più di queste braccia,
dove non arrivo...
allora, come sempre,
scrivo
di distanze e solitudini
nell'ora che 'ntenerisce il core
a naviganti di vite perse
dentro un dolcissimo dolore.

La fenice

Sono stato anch'io bellissimo,
per tutto il tempo che hai voluto,
e con te per mano ho trattenuto
lo sguardo fisso all'orizzonte
e spalle dritte, camminando...

Per questo ho atteso
un volo nuovo di Fenice,
uccisa dal fuoco quotidiano
di abitudini, miserie e di fatiche...
cenere sull' ali, polvere nell'aria.

L'ultima di più

Le tue mani tra i capelli,
le dita intrecciate
per le strade,
come sai ascoltare,
raccontare,
cercare tra pagine di un libro,
i tuoi sì, i tuoi no,
quando ridi,
o sento che hai paura,
quando pensi per due
e quando poi ci ritroviamo,
la pelle che ti veste,
il suono dei tuoi passi
e dopo un attimo
già entri nella stanza,
il caffè insieme,
il dolce che mi porti,
domani ci vediamo,
essere sempre
dentro la tua vita,
le cose che mi mancano di te,
l'ultima di più.

Ogni donna

Ogni donna che hai amato
per davvero
fa sempre qualche passo
in cui ti pensa
e sente, come un tempo,
la tua voce:
allora con lui ride
un po' più forte
per cancellarsi
tutti quei "se" dal cuore.

Parole di futuro

C'erano attorno
palazzi disadorni
lavori in corso
e macchine distratte
di benzina,
ma era
come stare
di fronte al Taj Mahal
o sulle onde d'oro
del grande fiume Li,
come specchiato
nell'alba boreale di Kiruna
o perso tra i Camini delle fate
di Goreme...

perché c'era

sopra tua fronte
questo sole perfettissimo
di maggio,
un filo di vento
profumato
di tua pelle,
gli occhi
dentro gli occhi
come mai
erano prima,
le mani
tra i capelli
e la mia voce
a cercare
fitto fitto
il tuo sorriso.

C'erano attorno
parole di futuro.

Per mano

*Quanto ne avremo
e ancora ancora,
tempo inventato
insieme e insieme,
per strade fatte
di passi e passi
o attese prima
di baci in baci.
Quando ti penso,
anche le parole
vanno per mano
come noi nel mondo.*

Piccole parole...

scritte sopra i fogli
leniscono dolori
scolpiti sopra il cuore?

Ci vorrebbe
un giorno pieno di sorrisi,
di labbra sulla pelle
e occhi illuminati
dalle attese...
così vorrei per te
la mia poesia.

Se il tuo nome...

fosse solo "Amore"
tutti con la voce
saprebbero chiamarti.

Ma solo per me
sai essere

Brivido,
Tenerezza,
Musica,
Carezza,
Audacia,
Incanto,
Innocenza,
Giovinezza,

e ancora

Segno,
Ovunque,
Completezza,
Guida nel tempo,
Attesa di sorriso,
Fiore su roccia,
Destino all'improvviso...

Però se questo nome
tuo
fosse soltanto "Amore",
mi basterebbe quello
per cercarti.

Versi incompleti ...

*che cercano padri
e poeti,
sospesi a fili di rime,
specchiati nell'eco
di pianti e sorrisi,
derisi
da frasi rotonde,
che hanno un inizio e una fine...
vetrine di nuove parole,
rubate ad un libro per strada,
racchiuse in scrigno di bacio
da aprire soltanto domani.*

Solo per te

Dal tuo volto leggo,
sulle labbra scrivo,
tra le mani spero
dei tuoi occhi vivo.

Talete

*Per ogni angolo di pelle
che cederai alla mia bocca
avrai un brivido inatteso
o forse mai provato.*

*Vedrò soltanto
il bianco dei tuoi occhi
tra palpebre socchiuse
e mani più serrate
sopra le mie mani,
come per afferrare il cielo.*

*Terra la carne,
fuoco di passione,
aria tra i sospiri
e acqua di piacere.*

Tatuaggi

*Se mai
rileggerai queste poesie,
(le tue,
per te soltanto ho scritto),
ci troverai, stupita,
le mappe quotidiane
di tua vita
infisse proprio
dentro la mia pelle...
allora mi dirai
dove saremo.*

Un prima
e un dopo

Sapevo già
che t'avrei atteso invano,
eppure mi hai dato
la gioia di aspettarti,
di prepararti
in fila le parole
e avere almeno,
nel tempo troppo vuoto,
un prima e un dopo...

Questo amore

Quando io e te
faremo questo Amore
(il dove non lo so
ma del quando son sicuro)
chiuderemo tra braccia
tutto il tempo vuoto
e gli daremo il senso
del presente...
"quando" sarà "sempre",
ed ogni attesa
soltanto un altro punto
di partenza.

Nel buio

*Ho acceso
fiammelle su gradini,
una per ogni notte
che manca al tuo ritorno.*

*Conto così l'attesa,
come una salita
ed ogni notte
spegnerò una luce.*

*Nel buio
ti riavrò
tra le mie braccia.*

L'ultima curva

Se guardi bene
c'è anche la mia luna...
i miei alberi, il cielo
e la mia strada
già li vedi.

Qui corro,
solitario,
tra nuvole bizzose
e abeti generosi
di balsami e di incanti.

Dietro ogni curva
cambia la finestra
sulla meraviglia,
dietro l'ultima tu,
la mia più grande.

Forse...

se ami
non puoi tenerti dentro
le parole:
non c'è un tempo giusto,
o un'occasione
l'Amore ha fretta
e non aspetta
fiori, lacrime
o sorrisi,
è tutto o nulla,
sempre sopra soglia,
un'onda che si innalza
e poi si infrange
e poi ritorna
e vive, illusa di infinito,
nel tempo che si unisce
con altra onda,
uguale.

Talami

*Sulla stessa
linea d'orizzonte
che separa
laggiù
il cielo e il mare
è sceso infuocato
sole
e dopo luna,
quasi arrossendo
un poco.
Noi allo stesso modo,
qui,
complice la notte.*

Stelle

La mia prua
scardina le onde
e semina
poesie nel mare.
I miei ombrelli
colorati, in aria
sono appesi
alla rovescia,
i muscoli
mi tendono la pelle
di tatuaggi
che solo tu mi vedi.
I miei tramonti sono
a caccia di utopie,
i miei desideri
in cerca di stelle:
ti porterei a scrutarle
in cielo
ma alla fine
guarderei te sola.

La spirale

L'amore è un cerchio
che quando torna
al punto di partenza
chiudendosi svanisce
oppure sale come una spirale:
allora ad ogni giro
va un poco più veloce
e lascia appena sotto
tutto il male, i giorni
che ha amato uno soltanto
o i rimpianti mescolati al
"ti ricordi, quella volta... quando..."

"Quando" è invece il tempo
che cerco un po' più in alto:
se la spirale non arriva al cielo
per prenderti, alla fine, faccio un salto.

Matrioske

*Tristezze dentro felicità di pianti,
chiuse una dentro l'altra
come imperscrutabili matrioske...*

*A te soltanto le racconto tutte
le gioie e le paure del mio giorno,
così mi avrai un poco
anzi di più,
d'ogni altra volta
che ci siamo amati.*

Basterebbe...

innamorarsi un'altra volta,
anche solo
per il tempo di un'attesa,
per scrivermi poesia
che mi consoli,
per tutto l'altro tempo
che ora viene.

Quando potevo
a te le ho dedicate,
non ce n'è una
in cui ci sono anch'io.

Paura...

*è il profumo
dell'assenza,
lo iato tra due volte
che mi baci.*

Sei...

*la nostalgia del mare,
del cuore
già oltre l'orizzonte,
pinete
che sotto la collina
all'improvviso
finiscono nel cielo.*

*Sei
nell'alba dei carruggi
che ascoltano
di notte le parole,
e nella luna appesa
al tuo sorriso
mentre divento
onda di tue labbra.*

Sei...

*come il sorriso
che fai
mentre già sogni,
che lega
notte all'alba
e ieri al tuo presente.*

*Quando entra
il sole
tra le tende,
spalanchi gli occhi
al giorno
e doni luce
a me che ho scritto
guardandoti dormire.*

Sei...

*come una sera d'aprile
che già mi profuma d'estate,
di un giorno
che non viene mai sera
perché ti ho baciato sul cuore.

Sei come un giardino di pace
nel canto di libri
e usignoli:
tacendo sorridi con gli occhi
e so che mi ami davvero.*

Sei...

*la mia
lunghissima
catena cinematica
di bene
che va da bocca a cuore
da mani a pelle,
chiusa
come quando
ti do un bacio,
tu sali sulle punte
e poi sollevi un piede,
aperta
quando ridi
con gli occhi da cerbiatto,
spalancando le braccia
al nostro tempo.*

Sei...

la mia speranza,
a te mi affido,
in notti senza sonno,
nelle ore
che il giorno rubo al tempo,
e nel cammino:
in ogni passo cerco
la tua mano.

Così mi rendi uomo,
vivo e forte,
capace di scalare le montagne
e allargare braccia
mente e cuore
a te che amandomi così
mi fai migliore.

Sei...

*la bellezza che cammina
e sopra la bruma porta il sole,
forza di braccia e cuore
giorno che rinnova,
cerchio di un altro sogno,
tempo migliore.*

Sei...

*la tenerezza
nel grembo di un abbraccio,
che cresce come
un'altra nuova attesa
mentre mi porti
in mezzo al mondo,
vivo.*

*Così
tra il prima e dopo
scrivi il tempo,
che segni in ogni giorno,
in altro viaggio,
in un sorriso
vero.*

Sei...

*un cuore da riempire,
un passo da mostrare
e dopo, da sola,
lasciarti camminare,
la meraviglia,
uno stupore
che fa salire voglia
di cantare,
un gatto infreddolito
da scaldare,
l'attesa di un ritorno
da abbracciare...*

*l'ultima linea d'alba
prima di tornare.*

Sei...

un sogno,
un salto,
un bacio,
un tempo
lungo e breve,
albero, ramo,
fiore,
un seme,
un gesto lieve,
un anno, un mese
o solo giorno intero,
inizio e fine
sempre
di ogni mio pensiero.

Sei...

come il mio paese,
appeso sopra il monte
ad un angolo di cielo
e mi emozioni sempre
in angoli di strade
e di persone,
per te
addobbate a fiori
della festa.

Sei come casa,
che prima e dopo
resta
conservando la storia
di ogni vita,
e aspetta
il tuo arrivo nuovo
e il mio ritorno.

Sei...

*come un mandorlo in fiore
petali bianchi, striati un po' di rosa
spalancati nell'azzurro dell'attesa,
rossi nel cuore,
nuova primavera
e intrecci come fiori tra i tuoi rami
solo pensieri belli,
che mostri parlando a me,
poi sei stupore.*

*Mandorlo profumato di colore,
allaghi di fragranze
il mio giardino
e custodisci nettare di miele
per labbra di baci
e di passione.*

*Per ogni bacio
che non ti ho saputo dare
uno ne avrai domani,
dentro ogni fiore.*

Sei...

il mio passerotto curioso,
leggero
come piuma su velo,
con gli occhi sbarrati
sul mondo
che nuovo, tutto
e bello ti appare.

Adesso ogni nuvola
è un salto
appeso
ad un pezzo di cielo...

Se torni a volarmi vicino
ti stendo il mio cuore
e una mano.

Sei...

*la bellezza
che rende bello il mondo,
la purezza
dell'alba e del tramonto,
la farfalla
che vola tra i roseti,
il fuoco
nel cuore dei poeti.*

Basta!!!

Qualcuno dica al Pater,
poeta di Firenze,
che ha rotto, un poco, assai,
con le poesie melense...

che posti un selfie mosso,
i piedi stesi a riva,
un motto di Confucio,
la faccia positiva,
un bel veliero antico
tatuato sulla schiena,
o un gruppo di bevuti
dopo un'apericena,
un gatto che cantando
fa il verso alla Pausini,
Pokémon allevati
da un branco di cretini,
il pesce, il vino, il dolce
con tutta la ricetta,
la smorfia di dolore
durante la ceretta...

qualunque cosa, insomma,
ma basta piagnistei,
c'è un limite al diametro
di sfere e zebedei.

Promemoria

*Sai cosa mi resta
di un giorno di fatica?
Scriverti righe d'amore
che leggerai domani:*

*vorrei fossi vicina,
guardarti respirare:
già questo sarebbe un pezzo
o tutta la poesia.*

*Scrivono per non morire,
i matti,
o farsi banalmente ricordare,
in rima
cercarsi o perdonare,
forse
per non dimenticarsi più di amare.*

Indice

3	Bella	35	Invano
4	Volo	36	Adesso, dopo
5	Troppo facile	37	Il nostro tempo
6	Una parola	38	Al centro
7	Claire de lune	39	Alba
8	Estate	40	Meditando...
9	Verrà primavera...	41	Eccoti
10	Cerco	42	Distanze
11	Il limite...	43	Dopo un temporale
12	Trasparenze...	44	Le strade, le parole
13	Presente	45	Mare di maggio
14	Rosa bianca	46	Origami
15	Le parole	47	Penelope
16	Tu parti, io resto...	48	Concerto (a Goffredo)
17	L'attesa	49	Tre cose
18	Shabnan (rugiada)	50	Tre sassi
19	Un altro ulisse	51	Un risveglio
20	Per esser certo	52	Voyager
21	Il tuo tempo	53	Mi renderai
22	Sublime	54	Altrove
23	Ho baciato...	55	Amandoti di più...
24	Una notte	56	Come volando
25	La camicia	57	Dopo un temporale
26	Lampi di luce	58	Distanza
27	Stasera	59	Per...
28	Onda	60	Raccontami di te...
29	L'airone	61	Se
30	Che...	62	Un mendicante
31	Credo	63	Vuoto e pieno
32	Delfini	64	A a a... Cercasi
33	Inverno	65	Addosso
34	La scultrice	66	Buonanotte come...

67	Coincidenze		99	Se il tuo nome...
68	Dirò se sei felice		100	Versi incompleti...
69	Domande		101	Solo per te
70	È più facile		102	Talete
71	E se fosse lontana...		103	Tatuaggi
72	Ho amato...		104	Un prima e un dopo
73	Una parola		105	Questo amore
74	Il tuo corpo		106	Nel buio
75	La mia donna		107	L'ultima curva
76	La stella		108	Forse...
77	L' entanglement quantistico		109	Talami
78	Mi sei mancata		110	Stelle
79	Di notte		111	La spirale
80	Nell'aria		112	Matrioske
81	Par avion		113	Basterebbe...
82	Parallasse		114	Paura...
83	Pastelli		115	Sei...
84	Pioggia a settembre...		116	Sei...
85	Ricco...		117	Sei...
86	Topognosia		118	Sei...
87	Tutti via		119	Sei...
88	Un pazzo		120	Sei...
89	Withorwithoutyou...		121	Sei...
90	A volte		122	Sei...
91	Ci sono...		123	Sei...
92	Desìo		124	Sei...
93	La fenice		125	Sei...
94	L'ultima di più		126	Sei...
95	Ogni donna		127	Sei...
96	Parole di futuro		128	Basta !!!
97	Per mano		129	Promemoria
98	Piccole parole...			

paternostro@unifi.it